ATTAQUES À LASCAUX

Ancien instituteur, **Philippe Barbeau** écrit depuis 25 ans. Il adore raconter les aventures de Sara et Fabio car, avec eux, il voyage dans le temps et vit au cœur de l'Histoire. Misère et carambouille, rien de tel pour comprendre et apprécier le monde d'aujourd'hui!

Illustrateur depuis 10 ans, **Jérôme Brasseur** travaille pour l'édition mais aussi pour la publicité et la communication. Il a horreur de faire toujours la même chose et ne souhaite pas s'enfermer dans un style. Il veut être surpris par ses images : Sara et Fabio lui ont donc réservé quelques rebondissements...

Direction artistique, création graphique
et réalisation : DOUBLE, Paris
© Hatier, 2008, Paris
ISBN : 978-2-218-75323-7
www.hatierpoche.com

LES ENQUÊTEURS DU NET

ATTAQUES À LASCAUX

écrit par Philippe Barbeau
illustré par Jérôme Brasseur

HATIER POCHE

AVERTISSEMENT

Les romans de la série «Les Enquêteurs du Net» reposent sur des données vérifiées à la date de rédaction. Les héros peuvent rencontrer des personnages ayant réellement vécu, au cours d'événements qui se sont vraiment déroulés, dans des lieux qui ont existé ou existent encore, mais leurs aventures sont imaginaires. Même si elles proposent une interprétation plausible, elles ne doivent pas être tenues pour des vérités historiques... ou préhistoriques.

Ce chapitre est commun à tous les romans de la série «Les Enquêteurs du Net». Si tu as déjà lu une aventure de Sara et Fabio, tu peux passer directement au chapitre 1.

CHAPITRE PRÉLIMINAIRE

Les Enquêteurs du Net

Séverine Belpierre, la maîtresse, venait d'entrer dans la salle informatique. Sara et Fabio échangèrent alors un sourire complice. Un de plus. Ils n'avaient pas besoin de se forcer. Ils partageaient tant de choses depuis la maternelle où ils étaient devenus immédiatement copains.

Calme, sereine, Sara pouvait décider très vite mais jamais sur un coup de tête. Fabio réfléchissait beaucoup moins et adorait agir d'instinct. Même si elle ne le montrait pas toujours, Sara appréciait l'enthousiasme et l'humour de son ami. Fabio, quant à lui, trouvait que Sara avait le plus beau sourire du monde.

L'un et l'autre adoraient les émotions fortes. Ça tombait bien car ils s'en procuraient quantité depuis leur découverte!

La maîtresse était d'excellente humeur. Elle chanta presque :

– Sara! Fabio! Vos articles sont formidables! Quelle documentation! On croirait que vous êtes allés sur place effectuer le reportage...

Elle ne pensait pas si bien dire. Oui! Ils s'étaient rendus sur place au moment exact où s'était déroulé l'événement. Ils y avaient même vécu une véritable aventure...

C'était ainsi chaque fois qu'ils devaient écrire de nouveaux articles pour *L'écho de l'école*, le journal scolaire. Il faut dire qu'ils possédaient un fantastique moyen pour voyager : Internet.

La première fois qu'ils s'étaient portés volontaires pour ce travail, ils avaient découvert un site en cherchant de la documentation. Sur ce site, on les invitait à voyager dans le temps, à vivre des aventures avec des gens de l'époque, à mener leurs propres enquêtes sur place, aux quatre coins de la Terre, et à devenir ainsi :

Les Enquêteurs du Net.

Bien sûr, c'était tentant.

Ils avaient parcouru le site, lu et relu, essayé de deviner si ce n'était pas une blague, s'il n'y avait pas un piège.

– Misère et carambouille! s'était inquiété Fabio. Comment revient-on? C'est bien de voyager mais sans billet de retour, je n'aime pas trop...

– Regarde, c'est écrit là : il suffit de taper la date et l'heure de notre départ sur notre téléphone mobile relié lui-même à Internet. On reviendra exactement dans la seconde où on est partis. Les gens d'ici ne se rendront même pas compte de notre escapade. C'est sans risque...

– Ah, si, il y en a un tout de même. Regarde bien!

Fabio avait montré l'écran et ils avaient lu :

«*À chaque mission, les Enquêteurs disposent d'un temps limité pour mener leur enquête. Une roue de la chance leur donne l'information avant de partir.*»

– Une roue de la chance? s'exclama Fabio.

– Oui, une sorte de loterie du Net.

– Et si... si on ne respecte pas ce temps?

– C'est aussi indiqué : on reste prisonniers de l'époque visitée!

– Brrr! Ça me donne la chair de poule!

– Pfff! Il suffit de regarder notre montre, le rassura Sara.

Ce n'était pas si simple et ils avaient déjà failli se faire prendre au piège à plusieurs reprises. À chaque fois, ils avaient eu de la chance mais celle-ci ne les abandonnerait-elle pas un jour?

Ils avaient rempli le formulaire sans y croire vraiment et, après avoir mis le dernier point et tapé «entrée», un imperceptible sifflement avait retenti. Des myriades d'étoiles multicolores venues de nulle part avaient étincelé et formé un tourbillon qui, comme deux immenses bras, les avait enveloppés, soulevés, bercés... puis reposés. Ils s'étaient alors retrouvés sur le lieu de leur reportage, à l'époque exacte où ils devaient enquêter.

Ainsi, Sara et Fabio étaient devenus :

Les Enquêteurs du Net.

C'était leur secret.

LES POUVOIRS DE SARA ET FABIO
PENDANT LEURS VOYAGES
• Les gens de l'époque ne les voient et ne les entendent pas.
• Sara et Fabio comprennent la langue employée.
• Leurs téléphones mobiles fonctionnent... mais ils ne doivent pas oublier de recharger la batterie avant de partir car, la plupart du temps, on n'a pas encore découvert l'électricité là où ils vont.
• Leur montre indique toujours l'heure du XXIe siècle et les aide à se repérer.
• Ils agissent à leur gré sur les objets qui les entourent. Quand ils en touchent un, celui-ci devient invisible pour les gens alentour. Amusant... mais dangereux : Sara et Fabio doivent veiller à ne pas modifier le cours de l'Histoire.
• Le bois ne les arrête pas, mais il les supporte quand ils marchent dessus. Ils peuvent donc franchir les portes sans les ouvrir (dans ce cas, les objets qu'ils tiennent les suivent) et ils ne risquent pas de passer au travers des planchers.
• Comme ils partent et reviennent dans la même seconde, les gens du XXIe siècle ne se rendent compte de rien... sauf si, à leur retour, Sara et Fabio gardent une trace de l'époque visitée !

CHAPITRE 1

Direction Lascaux

La sonnette d'entrée retentit.
Le père de Sara ouvrit.

– Ah! Fabio! Bonjour!

– Bonjour, monsieur! Sara est là?

– Bien sûr! Elle va beaucoup mieux et retournera à l'école demain. Ne la fatigue pas trop cependant. Elle est encore un peu faible.

– Ne vous inquiétez pas! assura Fabio qui filait déjà dans le couloir.

«Misère et carambouille, s'il savait où on doit aller, il se ferait du souci.»

Sara accueillit son ami avec un sourire fatigué.

– Te voilà enfin! Je commençais à me demander si tu viendrais. Ferme la porte, s'il te plaît!

Il obéit puis s'inquiéta :

– Je te trouve un peu blanche.

– Normal que je sois pâle. Une semaine sans mettre le nez dehors! Je commence à ressembler à une endive.

– Tu vas pouvoir voyager?

– Ce ne sera pas la grande forme, mais ça devrait aller!

– Excuse-moi pour le retard! Mes parents voulaient que je finisse mes devoirs. Je n'arrivais pas à retenir cette fichue leçon de mathématiques.

– Tu pensais à Lascaux?

– Évidemment! Quelle chance nous avons d'être les premiers enfants du XXIe siècle à assister à la peinture d'une grotte préhistorique!

– Et pas n'importe laquelle : Lascaux! On devrait voir la vraie grotte originale.

– La maîtresse a dit que, lors du voyage de fin d'année, on visitera Lascaux II[1]. Ce sera chouette mais dans quelques minutes, ce sera encore mieux. On pourra rédiger les articles pour le journal scolaire à partir d'informations de première main.

– Et comment! Les copains connaîtront déjà plein de choses avant même de visiter le site.

– Cela dit, la maîtresse nous a fait une super leçon sur les hommes préhistoriques. On a aussi trouvé des informations sur Internet et à la médiathèque.

– Oui, mais rien ne vaut le reportage sur place... Tu as préparé tes affaires?

Sara montra son sac.

– Comme d'habitude!

Elle enfila son blouson et la bandoulière de son sac, s'installa devant l'ordinateur

---

[1] Quelques années après la découverte de la grotte de Lascaux, les scientifiques s'aperçurent que, à cause des visiteurs trop nombreux, les peintures se détérioraient et risquaient de disparaître. Il fut décidé de fermer la grotte au public et de créer un fac-similé, exacte reproduction d'une très grande partie de l'originale. Ainsi naquit Lascaux II. C'est elle que l'on visite aujourd'hui.

et tapa l'adresse des Enquêteurs du Net. Fabio posa la main sur son épaule.

– Reste vague pour la date! Les préhisto-riens ne savent pas trop quand la grotte a été peinte.

– Je ne suis pas idiote!

Dans les cases adéquates, elle écrivit : «Entre 16 600 et 15 000 ans avant J.-C.[1],

---

[1] L'art de Lascaux pourrait être inséré sur une échelle de temps allant de la fin du Solutréen au Magdalénien ancien, soit de 18 600 à 17 000 ans environ avant aujourd'hui.

un après-midi d'automne, pendant la création des peintures pariétales ; Lascaux».
Elle cliqua ensuite sur la roue de la chance
qui tourna, retourna, clignota, ferrailla et
annonça enfin d'une voix synthétique :
– Vous devrez avoir rempli votre mission
avant la disparition du soleil à l'horizon!
Ne l'oubliez pas, sinon...
Sara pensa durant une fraction de seconde
qu'elle n'était peut-être pas assez rétablie
pour une nouvelle aventure. Elle étouffa
l'angoisse qui la saisit un peu plus que d'habitude et appuya sur la touche «entrée».
– C'est parti!
Le sifflement retentit, les étoiles scintillèrent, les bras du tourbillon multicolore les
enveloppèrent, les soulevèrent, les bercèrent et le nouveau voyage commença.

CHAPITRE 2

Peintre et enfants magdaléniens

– Bouh! Ça sent mauvais ici! s'écria Fabio.

Une odeur âcre, épaisse, comme celle de chair brûlée et de fumée mélangées, flottait effectivement.

– En plus, il fait frisquet!

– Et puis on ne voit rien! Je vais allumer ma lampe.

– Non, les hommes préhistoriques pourraient remarquer le faisceau! Nos yeux vont vite s'habituer, répondit Sara.

Quelque chose bougea à côté d'eux.

– Chut! Tais-toi!

Une voix retentit :

– *On va demander du colorant à Ziror, le peintre. Ensuite, on célèbrera la cérémonie magique et on partira à la chasse.*

Les Enquêteurs du Net distinguèrent enfin un garçon tenant une pierre plate creusée en son centre. Quelques brindilles y brûlaient en grésillant et diffusaient une lumière chétive.

– C'est une lampe à graisse, remarqua Fabio.

– Oui! Avec du genévrier qui brûle dans de la graisse animale. Voilà d'où vient l'odeur!

– Dire qu'il faudra plusieurs millénaires pour inventer le désodorisant!

Le Magdalénien[1], un garçon d'une douzaine d'années environ, passa devant eux.

---

[1] Les connaissances actuelles ne permettent pas de savoir si les décorations de Lascaux ont été réalisées par des Solutréens ou des Magdaléniens. L'auteur a choisi ces derniers, que l'on nomme ainsi en référence au grand abri de la Madeleine, dans le Périgord, découvert en 1863. Bien sûr, on ignore comment les uns et les autres se désignaient eux-mêmes et comment ils appelaient la grotte de Lascaux.

Un autre garçon et une fille plus jeunes le suivaient. Chaussés de bottes, tous trois portaient des vêtements de peau.

– On dirait plutôt des Indiens sans coiffe de plumes, constata Fabio, déçu. Ils n'ont rien à voir avec des singes!

– Des singes? C'est toi qui es un drôle de chimpanzé! Les Magdaléniens sont des *Homo sapiens*[1], tout comme nous! J'ai lu sur Internet qu'on est un peu plus grands qu'eux, mais qu'on leur ressemble beaucoup.

Sara et son ami virent les enfants s'approcher de trois hommes. Le premier, debout sur une pierre, dessinait sur la paroi à l'aide d'un tampon fixé à l'extrémité d'un long manche. Le deuxième l'éclairait avec une lampe à graisse. Le troisième, la tête couverte d'une coiffe ornée de bois de cerf, surveillait le travail.

– Je sais où on est, s'exclama Fabio, dans la salle des taureaux!

---

[1] Apparu sur Terre il y a trois cent mille ans, *l'Homo sapiens* est le premier représentant direct de notre espèce.

– Et l'homme achève les cornes du deuxième, juste à côté du cheval sans pattes.

– Une corne en forme de «S» et une autre
en forme de «C»! Je me souviens.

Le peintre se baissait quand les enfants
parvinrent à sa hauteur.

– *Tiens, Korak, Oum, Ouanga! Qu'est-ce qui
vous amène?*

– *Je...* bafouilla Korak, le plus grand. *Je...*

Il jeta un regard troublé à l'homme coiffé
des bois de cerf puis demanda :

– *Est-ce que tu peux nous donner du colorant, s'il te plaît, Ziror?*

Le peintre se tourna lui aussi vers l'autre
homme qu'il interrogea :

– *Fayor, ô grand sorcier, puis-je lui en donner?*

Le regard froid, l'homme réfléchit quelques secondes puis acquiesça d'un discret
signe de tête. Alors, du bout de son outil,
le peintre indiqua une pierre de la taille
d'une orange, noire comme du charbon[1].

---

[1] Il s'agit en fait de bioxyde de manganèse.

– Prends ça mais débrouille-toi pour fabriquer la peinture.

L'enfant posa sa lampe et saisit le précieux matériau. Il salua ensuite les adultes, s'inclinant plus profondément devant le sorcier, puis il exécuta un demi-tour et, suivi de ses deux amis, revint sur ses pas.

Sara et Fabio seraient bien restés admirer le peintre mais ses gestes ne varieraient guère durant l'après-midi. La chasse leur réserverait davantage de surprises et ils en apprendraient sans doute plus sur la vie des hommes de Lascaux. Les deux amis n'eurent donc qu'à se jeter un coup d'œil pour constater qu'ils pensaient la même chose : «On fonce maintenant... jusqu'au coucher du soleil!»

Et ils filèrent derrière les trois jeunes Magdaléniens.

CHAPITRE 3

Cérémonie magique

Les enfants sortirent à l'air libre et tournèrent à gauche.

– Tiens! s'étonna Fabio. Je m'attendais à trouver de la neige.

– Il y a eu des réchauffements pendant la glaciation. Nous devons être à l'une de ces époques.

Les jeunes Magdaléniens parcoururent une quarantaine de mètres puis s'arrêtèrent devant une deuxième entrée.

– Misère et carambouille! Il existe une autre grotte à côté de Lascaux?

– Je crois savoir où on va arriver. J'ai lu quelque chose dans un livre[1] à ce sujet.

Agenouillé devant une pierre plate, Korak effritait le bloc noir à l'aide d'un silex. Il mit la poudre obtenue dans une autre pierre évidée en son centre qui contenait déjà de l'eau et mélangea.

– *Voilà!* chanta-t-il satisfait. *Maintenant, on va célébrer la cérémonie magique.*

Les enfants entrèrent alors dans la grotte.

– Eh! Ils n'ont plus de lampe!

– Si! Regarde là-bas!

Une lueur pâle brillait à quelques pas.

Korak la rejoignit, suivi des autres.

Sara et Fabio distinguèrent des dessins sur la paroi : un bison, un rhinocéros et à côté six points sur deux rangs. Le premier animal perdait ses entrailles. Le second était à demi-effacé.

– On est dans le puits!

– Lascaux avait donc bien une deuxième entrée au temps des Magdaléniens!

---

[1] *Lascaux, le geste, l'espace et le temps* de Norbert Aujoulat (éd. du Seuil).

Korak ramassa un pinceau par terre, le trempa dans la peinture et clama d'une façon très solennelle :

– *Moi, Korak, je vais dessiner l'oiseau perché, mon totem...*

Il montra ensuite le pinceau à ses compagnons puis se tourna vers la paroi. Il posa l'extrémité de son outil entre le bison et le rhinocéros puis tira un trait vers le haut, au bout duquel il dessina un oiseau. Ensuite il se retourna :

– *Oum, Ouanga, qu'est-ce que j'ai peint ?*

– *L'oiseau perché, ton totem !*

Korak bomba le torse. Encore plus grandiloquent, il annonça :

– *Je suis déjà un grand chasseur. L'autre jour, d'un simple jet de sagaie, j'ai tué un lièvre qui filait plus vite que le vent. Aujourd'hui, grâce à l'aide magique de l'oiseau perché, mon totem, je vais abattre des rennes*[1].

---

[1] Les Magdaléniens étaient de grands chasseurs de rennes. Toutefois, si on a retrouvé des ossements de ces animaux à Lascaux, aucun n'y est représenté.

– *C'est un peu tôt pour la saison des rennes. Notre clan vient juste d'installer le nouveau campement. En plus, les anciens disent qu'il y en a beaucoup moins qu'autrefois.*

– *Tais-toi! Je sais ce que je dis. Il faut chasser autrement. J'ai consulté les pierres magiques. Elles m'ont révélé que les rennes approchent. Maintenant, je vais dessiner une arme magique.*

– *Pourquoi une arme magique?* demanda Ouanga. *Les rennes, on les chasse avec des sagaies normales, pas avec des armes magiques.*

– *Ne trouble pas la cérémonie!* ordonna Korak. *Tu vas attirer le mauvais sort.*

Il dessina un nouveau trait, avec quelques excroissances.

– On dirait un harpon, remarqua Fabio.

– Ce n'en est pas un. Les Magdaléniens l'inventeront plus tard, répondit Sara.

Korak s'immobilisa. Oum et Ouanga ne bougeaient plus non plus. Korak ramassa la lampe et la porta sous son visage. La flamme trembla, agitée par son souffle, et

26

dessina des ombres inquiétantes sur les parois. Sara et Fabio frissonnèrent.

– *Je vais tuer un grand nombre de rennes! Abrahr, le chef de notre tribu, va me féliciter. Fayor, notre sorcier, va vouloir connaître les secrets de ma magie. C'est d'ailleurs pour ça qu'il m'a autorisé à utiliser du colorant. Il a compris qui je suis, qui je vais être... et je vais être le roi des rennes!*

Korak reposa alors la lampe puis se dirigea vers la sortie, suivi de ses amis et des Enquêteurs du Net.

CHAPITRE 4

Les chasseurs prennent position

Couverte de hautes herbes, parsemée de bouleaux, de sapins et de chênes, la colline descendait vers une rivière.

– La Vézère, souffla Sara.

Le groupe rejoignit un bosquet de genévriers. Korak se glissa dedans puis en sortit plusieurs objets.

– Voici nos armes! Nous aurons chacun une sagaie et un propulseur[1]. Ouanga, tu sauras t'en servir?

---

[1] Les chasseurs utilisaient les propulseurs pour lancer les sagaies avec beaucoup plus de force.

– *Bien sûr! Je suis une fille, mais je sais chasser. Tu ne l'ignores pas, sinon tu ne m'aurais pas acceptée avec toi!*

Korak ne tint pas compte de la pique et, après avoir distribué les armes, annonça :

– *Allons-y! En route, Sirog!*

Sara et Fabio sursautèrent. Un animal venait de quitter le bosquet pour suivre le chef.

– Ils ont un chien!

– Un chien ou un loup apprivoisé.

Les enfants partirent vers la droite, traversèrent un gros ruisseau puis progressèrent à flanc de colline, longeant la rivière en contrebas, sur leur gauche.

– C'est bien, se réjouit Fabio. On ne s'est pas mouillé les pieds en traversant le ruisseau, comme si nos chaussures étaient parfaitement étanches.

– Oui! C'est pratique!

Ils marchèrent longtemps et Sara peina à tenir le rythme. Pourtant sportive, elle constata que, comme elle le craignait, elle n'avait pas récupéré toutes ses forces.

Soudain, la pente se trouva devant le groupe, descendant jusqu'au cours d'eau qui s'élargissait un peu plus loin.

– *Voilà le gué*, annonça Korak. *Les rennes traverseront ici. Nous allons nous embusquer.*

De part et d'autre, des bosquets et des arbres jalonnaient la rive.

– *Tu es sûr que c'est un gué?* remarqua Oum. *La rivière me semble bien profonde à cet endroit.*

– *Mêle-toi de ce qui te regarde. C'est moi le chef! Grimpe dans cet arbre. Tu effrayes les animaux qui passent en dessous en te débrouillant pour qu'ils viennent vers moi.*

– *Mais, comment veux-tu que je fasse?*

– *Débrouille-toi, je te dis! Ouanga, tu te caches derrière ce gros arbre et tu rabats aussi des animaux vers moi.*

– *Ce... Ce sera dangereux!*

Korak soupira et grogna :

– *Il ne fallait pas venir si tu as peur. Les chasseurs n'ont jamais peur. Tu es bien une fille, tiens!*

Sara lui jeta un regard de feu puis elle se tourna vers Fabio et grinça :

– Korak m'énerve. S'il continue, je vais lui donner une leçon.

Les deux plus jeunes Magdaléniens gagnèrent ainsi leur poste pendant que Korak s'installait derrière le tronc d'un aulne gigantesque. Il s'agenouilla, prit son propulseur dans sa main droite, plaça sa sagaie dessus et, levant le bras, se mit en position de tir. Le chien s'assit tranquillement à côté de lui.

Sara et Fabio prirent place à un endroit stratégique. De là, ils pouvaient facilement surveiller les trois Magdaléniens. Ensuite, ils contemplèrent le paysage. Le garçon remarqua bientôt un léger bourdonnement s'échappant d'une souche voisine.

– Qu'est-ce que c'est ?

Sara écouta, observa puis conclut :

– Des abeilles, sans doute. Une ruche sauvage qui se prépare à hiberner.

Le temps prit peu à peu des lenteurs d'escargot.

CHAPITRE 5

Visite imprévue

Quelques oiseaux vinrent boire.
Oum ne cessait de bouger.
Ouanga regarda d'abord avec attention
puis, comme aucun renne ne montrait le
bout des bois, elle dégagea la terre devant
elle et traça des lignes.
Korak abandonna sa position, posa sagaie
et propulseur, arracha une grosse touffe
d'herbe qu'il disposa par terre. Il finit par
s'allonger, la tête dessus.
– *Et voilà*, souffla-t-il. *Inutile de me fati-
guer. Je vais me reposer. Comme ça, je serai*

*encore plus fort quand les rennes arrive-
ront. Allez, viens, Sirog, on va récupérer un
peu.*

Le chien se lova à côté de lui, ferma les
yeux après avoir poussé un gros soupir.

– Incroyable! s'exclama Sara en désignant
Korak. Fabio, regarde ce fier-à-bras. Il
dort!

Et elle jeta un œil au soleil dont la course
s'infléchissait déjà un peu.

– On ne va pas continuer à perdre notre
temps comme ça. Il faut réagir!

Elle s'apprêtait à chatouiller le nez de Korak
avec un brin d'herbe quand des buissons
frémirent.

Oum s'agenouilla sur sa branche, brandit
propulseur et sagaie. Ouanga abandonna
son dessin et l'imita. Sara et Fabio se rele-
vèrent. Korak, lui, dormait toujours.

Les buissons frémirent de plus belle,
s'écartèrent et, renâclant, un énorme bison
apparut.

L'animal s'approcha de la rivière, le pas
pesant. Il entra à peine dans l'eau, se

contenta de boire, accompagnant ses déglutitions de sonores grognements.

Sirog s'était redressé et grondait. Korak se réveilla en sursaut, pointa la tête sur le côté du tronc. À cet instant, le bison regagnait la rive : il aperçut le garçon, le fixa d'un œil mauvais. Le chasseur se dissimula à nouveau mais trop tard, le bovidé se secoua. Sans quitter l'arbre de Korak des yeux, il laboura le sol de son sabot avant droit, souffla plus fort qu'un vent d'hiver et mugit.

Derrière son abri, Korak gémit :

– *Il ne m'a pas vu.*

Hélas, le monstre lança son énorme masse dans sa direction.

– Il va tout écrabouiller! paniqua Fabio.

Korak entendit la galopade, perçut les tremblements du sol et abandonna ses armes pour se réfugier sur la première branche. Sirog fit face, aboyant avec fureur.

Le bison le frôla, passa sous le garçon mais ne s'arrêta pas, disparaissant peu après au sommet de la colline.

Korak glissa une main dans ses cheveux puis fanfaronna du haut de son refuge, alors que ses camarades Oum et Ouanga venaient vers lui :

– *Vous avez vu cet imbécile! Il a foncé comme s'il avait cru pouvoir m'embrocher.*

Il entamait une prudente descente lorsque, soudain, un de ses pieds glissa.

CHAPITRE 6

Secourir le blessé

– *Aaaah!*

– *Korak est tombé!*

Ouanga et Oum se précipitèrent en courant vers leur ami. Sara et Fabio les rejoignirent aussitôt.

Korak gisait par terre, sur le dos. Sirog le regardait et gémissait.

– *Par l'oiseau perché, ton totem! Est-ce que tu es blessé, Korak?*

– *Ouiii! J'ai mal! Je souffre*, se lamenta-t-il, accompagnant sa plainte d'une grimace prononcée.

Ouanga constata, perplexe :

– *Tu ne saignes pas. Où as-tu mal?*

Korak accentua sa grimace et, se redressant légèrement, baissa sa botte droite et montra sa cheville :

– *Là! Je me suis cassé la jambe. Elle est en mille morceaux.*

La fillette ausculta l'endroit, le tâta, l'observa à nouveau puis conclut :

– *Non! C'est un peu enflé mais tu as seulement dû te tordre quelque chose. C'est tout.*

– *C'est tout! On voit bien que ce n'est pas toi qui souffres.*

Sara lança, narquoise :

– Le «grand chasseur» est douillet. Je le trouve même un peu nul!

Fabio garda un silence prudent mais n'en pensa pas moins.

Ouanga fit signe à Oum d'approcher puis elle expliqua :

– *On va le prendre sous les bras et le ramener à la grotte où Fayor le soignera. Aide-moi!*

Ils tentèrent de soulever leur compagnon…
qui était trop grand, trop lourd.

– *Aïe! Ouille! Vous me faites mal.*

Oum et Ouanga finirent par renoncer et le
rallongèrent avec précaution.

– *Je crois que je vais m'évanouir,* geignit
Korak.

– *Qu'est-ce qu'on fait?*

– *Peut-être que si on lui mettait une méde-
cine sur la cheville, ça calmerait la douleur.
Attends-moi! Je vais chercher ce qu'il faut.*

Ouanga s'enfonça dans les taillis et revint peu après avec des plantes.

– *Ah! Te voilà enfin!* geignit le blessé.

Elle ne répondit pas, broya les végétaux sur une pierre, ajouta un peu de salive et d'eau puis malaxa pour en faire une sorte de pommade verdâtre.

– *Avec ça, tu devrais moins souffrir*, expliqua-t-elle en l'appliquant sur la partie douloureuse.

Korak sursauta et grommela :

– *Ouille! C'est vite dit.*

Ouanga massa doucement. Puis, elle ordonna :

– *Allez, ça doit aller mieux! Oum, aide-moi, on va encore essayer de le relever.*

Mais cette deuxième tentative se révéla aussi infructueuse que la première et Korak hurla de plus belle.

– J'ai vu un documentaire à la télé sur un cochon qu'on égorgeait, ricana Sara, féroce. Eh bien, cet animal ne faisait pas plus de bruit que notre « grand chasseur », notre loup de pacotille!

Très ennuyé, Oum proposa :

– *Je peux courir chercher Fayor et toi, tu restes avec Korak. Si je me dépêche...*

– *Oui! Tu as la sagesse du vieux mammouth.*

Ainsi fut fait.

– Je le suis! annonça Fabio. Comme ça, je pourrai l'aider s'il a un problème.

Sara ne se sentait pas la force de faire un aller-retour. Elle resta donc avec Korak et Ouanga.

– *Fonce et fais attention!* cria Ouanga à son ami lorsqu'il fut sur le point de disparaître. *On ne sait jamais.*

CHAPITRE 7

Plus dangereux que le bison

– *Tu ne me laisses pas* tomber, hein, Ouanga?

– *Mais non! Tu sais très bien le faire tout seul.*

Elle caressa le front de Korak. À sa place, Sara aurait eu un autre geste car ce garçon l'énervait de plus en plus.

– *Oum va revenir très vite avec Fayor et quelques chasseurs. Le sorcier calmera ta douleur et les autres te porteront jusqu'au camp. Bientôt, tu ne souffr...*

Ouanga tendit l'oreille. Sirog grognait à nouveau. Quelque chose venait d'attirer son attention. Elle se pencha, étouffa un cri et gémit, presque inaudible :

– *Par le sang noir des sorcières, un ours!*

Pas aussi imposant que le bison, l'animal était pourtant de belle taille et, furetant, fouinant, il cherchait à manger. Il entrerait bientôt en hibernation et devait constituer ses réserves de graisse.

– *Pourvu qu'il ne nous voie pas! Ici, Sirog, tais-toi!*

Le chien vint se caler contre la fillette et cessa de grogner.

– *Qu'est-ce que c'est?* demanda Korak, plaintif.

– *Un ours!*

Le garçon s'assit d'un bond et regarda son amie, terrorisé.

– *Un ours!* souffla-t-il.

Il s'évanouit et retomba lourdement sur le dos. Ouanga ne lui prêta pas attention. La main sur sa sagaie, elle surveillait l'animal.

L'ours se précipita dans la rivière, provoquant une énorme gerbe et un retentissant «plouf!».

– *Qu'est-ce qu'il fait?* demanda Korak déjà revenu à lui.

– *Il pêche. Si seulement il pouvait attraper quatre ou cinq poissons, ça calmerait sa faim.*

Mais, après plusieurs tentatives infructueuses, l'ours sortit de l'eau à quelques pas des enfants.

Il se secoua puis s'assit, humant l'air avec insistance.

«Ça sent bon par ici!» parut-il se dire en se tournant vers l'aulne qui dissimulait Ouanga et Korak.

Sara voulut voler à leur secours. Mais que faire?

Soudain, elle s'exclama :

– Les abeilles!

Elle se précipita vers la souche mais s'arrêta au moment d'y plonger la main.

«Elles vont me piquer... Bah, et puis non! Elles ne me voient pas.»

Effectivement, elle retira sans problème un rayon gorgé de miel avant de se précipiter vers le plantigrade.

L'ours ne la vit pas non plus mais sentit le miel. Alors, sans lâcher le rayon qu'elle garda à quelques centimètres de sa truffe, elle le guida jusqu'à la souche. Il s'y attaqua aussitôt. Les abeilles déjà un peu engourdies bourdonnèrent vaguement autour de lui mais il les ignora et se régala.

«Ouanga et Korak ont ainsi un peu de répit... mais pour combien de temps?» pensa Sara.

CHAPITRE 8

Le chasseur devient gibier

Plus agile qu'un bouquetin, Oum passait les irrégularités de terrain avec facilité. Derrière lui, les muscles douloureux, Fabio soufflait comme une vieille locomotive et, fatiguant de plus en plus, faillit tomber à plusieurs reprises.

«Oum gagnerait facilement le cross de l'école, pensa-t-il, et Sara a beaucoup de chance : elle se repose avec Ouanga.»

Peu après avoir passé le ruisseau qui les séparait de la grotte, Oum stoppa net. Fabio cherchait la raison de cet arrêt quand il vit le garçon se dissimuler dans un fourré.

Oum écarta quelques feuilles pour observer devant lui. Fabio regarda dans la même direction et comprit enfin : à quelques dizaines de pas, cachés derrière les derniers buissons fournis, d'autres hommes épiaient l'entrée de la grotte.

Fabio s'approcha d'eux.

Ils portaient des vêtements de peau, des bracelets et des colliers de coquillages mais ils étaient différents. Leurs armes aussi.

Fabio revint vers Oum. Celui-ci semblait très embarrassé. Fabio comprit que, si le jeune Magdalénien tentait de rejoindre les siens, les étrangers le verraient et l'intercepteraient.

Oum hésita encore de longues minutes puis il se redressa lentement et, silencieux, discret, se dirigea vers la deuxième entrée de la grotte qu'il franchit après un long détour.

– *Cornes de bison et tête de bois! La lampe est éteinte...*

Il s'enfonça malgré tout dans le noir. Fabio essaya de le suivre mais, craignant de le perdre, il alluma sa lampe de poche.

«Sara ne serait pas d'accord... Bah! elle n'en saura rien.»

Oum se figea aussitôt et fixa le faisceau qui venait de nulle part.

– *Un rayon de soleil ici! C'est de la magie.*

Mais il n'attacha pas plus d'importance au phénomène et gagna le fond de la grotte.

«Qu'est-ce qu'il fait?» se demanda Fabio.

– *Comment je peux grimper?* grommela Oum en observant la paroi avec attention. *Il n'y a pas beaucoup de prises.*

Fabio comprit enfin.

«Il veut se glisser dans le trou entre le puits et l'abside[1]. Par là, il pourra rejoindre le passage puis la salle des taureaux et retrouver le sorcier!»

Oum fit une tentative, réussit à grimper d'un mètre mais retomba.

---

[1] L'abside est un volume en hémicycle surmonté d'une demi-sphère, au fond d'un monument. Celle de Lascaux est une rotonde aux dimensions relativement réduites présentant plus de 600 figures peintes mais, surtout, gravées.

– Si je crie, on va m'entendre. Il me faut une grande branche. Appuyée sur la paroi, je pourrai peut-être grimper. Seulement, en chercher une dans la forêt... Une seule solution : rejoindre le campement.

Oum sortit de la grotte, suivi par Fabio. Quelques minutes plus tard, le jeune Magdalénien s'arrêta et se dissimula à nouveau. D'autres inconnus observaient discrètement l'étendue plane en bord de rivière où son clan avait établi le campement. Le terrain était très dégagé. Fabio comprit que le garçon ne pouvait pas non plus chercher du secours de ce côté.

Oum hésita puis se redressa lentement et revint sur ses pas. Enfin, il reprit sa course. Une demi-heure plus tard, il s'apprêtait à descendre la colline dominant la rivière pour retrouver ses amis. Il jeta un regard vers eux et se figea soudain.

Korak était assis, Ouanga à côté de lui. Tous deux regardaient ce qui se passait un peu plus loin. Oum aperçut une grosse masse sombre.

– *Un ours!*

L'animal farfouilla encore dans la souche, puis se remit à renifler l'air.

Fabio voyait aussi Sara tournant autour de l'ours.

– Misère et carambouille! grogna-t-il. Dans quel pétrin elle est!

Elle se grattait la tête. Il se retourna et aperçut un homme s'approcher discrètement de Oum.

– Oum! cria Fabio.

Mais le garçon ne pouvait pas l'entendre. L'homme saisit le jeune Magdalénien par le cou avec un bras, lui arracha sa sagaie sans même qu'il ait eu le temps de réagir et lui plaqua sa main libre sur la bouche.

Oum se débattit avec énergie. L'autre le bâillonna et le ligota très facilement malgré tout.

Un deuxième homme arriva alors et Fabio se demanda comment il allait sortir son protégé de ce mauvais pas. Et pour ne rien arranger, le soleil accentuait sa descente.

CHAPITRE 9

L'ours attaque

Ouanga cramponnait Sirog par le cou. Le chien restait silencieux mais, campé sur ses pattes arrière, se tenait prêt à bondir.

– *Sage, Sirog, sage.*

Korak était assis et ne pensait plus à sa blessure. Aucun ne voyait Sara qui, entre eux et l'ours, cherchait désespérément une nouvelle idée pour détourner l'attention du plantigrade.

Celui-ci balançait la tête. Puis, il huma l'air à grandes goulées et, regardant vers l'aulne, poussa un rugissement. Sirog échappa à Ouanga et se projeta en avant.

– *Non, Sirog!*

– *Sirog, ici!* glapit Korak.

Mais le chien les ignora. Il passa à toute allure à côté de Sara, s'arrêta à moins d'un bond du fauve, lui fit face, montra les crocs puis aboya furieusement. D'abord surpris, l'ours se ressaisit, fixa le chien en rugissant de plus belle.

Toujours assis, Korak venait de placer sa sagaie dans le propulseur. Ouanga l'imita. Ils levèrent ensemble leur bras armé.

Sirog tournait maintenant autour de l'ours et l'affolait. Le plantigrade écumait de rage. Sara se sentait plus que jamais démunie.

Une sagaie frôla soudain sa tête, faillit toucher le chien et se ficha dans la patte arrière droite de l'ours qui hurla, arracha l'arme, se releva d'un bond et fondit sur Sirog. Le chien fit un saut sur le côté et l'évita de justesse. Emporté par son élan, l'ours venait d'arriver devant l'aulne et lorgnait les enfants, le regard féroce.

Ouanga avait empoigné sa sagaie. Pointe levée vers le fauve, elle lui faisait face. Korak avait abandonné son propulseur et reculait en se traînant sur les fesses.

Sirog recommença à tourner autour de l'ours qui brassait l'air à grands coups de patte. Au bord de la panique, Sara n'osait plus bouger. Ouanga jeta un œil en arrière et s'aperçut que Korak s'éloignait.

– *Cherche un abri!* lui hurla-t-elle. *Je te rejoins.*

Et elle amorça une prudente marche arrière, la sagaie toujours menaçante.

Ils s'approchèrent ainsi d'un rideau serré de bouleaux. Korak se glissa entre les troncs. Ouanga l'y rejoignit.

L'ours rugit à nouveau, se jeta sur Sirog et, d'un violent coup de patte, l'envoya valser jusqu'au bord de la rivière.

– *Sirog!* gémit Ouanga, des larmes dans la voix.

Mais elle ne s'apitoya pas plus. Devant le rideau de bouleaux, prêt à se faufiler entre deux troncs, l'ours semblait trouver la fillette à son goût.

CHAPITRE 10

Que faire du prisonnier ?

Les deux hommes s'affrontaient du regard. À leurs pieds, Oum se débattait, tentant en vain de dénouer ses liens.

– *Que vas-tu faire de cet enfant ?* demanda le nouvel arrivant à celui qui venait de capturer Oum.

– *Le rendre contre des armes et des peaux.*

La langue des étrangers était plus rugueuse que celle de Oum, mais, si le jeune Magdalénien ne la comprenait pas, il en était autrement pour Fabio.

– *Pauvre aurochs sans jugeote! Nous avons des marchandises à échanger.*

– *Nous les garderons pour une prochaine rencontre.*

– *Et tu penses que son clan ne va pas réagir?*

L'autre haussa le ton :

– *Qu'ils tentent quelque chose et ils verront! Il pourrait arriver malheur à mon prisonnier.*

– *Admettons qu'ils acceptent ton chantage, crois-tu qu'ils voudront continuer à échanger avec nous plus tard?*

– *On capturera un autre gamin!*

– *Tu n'as pas plus de cervelle qu'une pointe de sagaie! Ils seront sur leurs gardes après ce premier malheur. Ils mettront des sentinelles, tendront des pièges ou des embuscades. Nous courrons de grands dangers.*

L'autre grogna :

– *Notre clan est le plus fort! Jamais ils ne nous attaqueront...*

– *Qu'en sais-tu, Yorg? Zoumar, notre chef, a bien dit qu'il ne fallait pas être agressif avec les clans rencontrés, qu'il fallait s'en faire des alliés.*

Yorg haussa les épaules et objecta :

– *Zoumar est resté avec le clan. Il n'a pas pris la tête de notre expédition. Comment peut-il connaître les difficultés que nous rencontrons ?*

– *Bien sûr, l'un des clans que nous avons croisés voici quelques jours était agressif mais rien ne prouve que celui de cet enfant le soit aussi.*

– *Ce gamin est mon prisonnier. Tu n'as rien à dire, Taumair... Mêle-toi de ce qui te regarde !*

Yorg venait de sortir son coutelas de pierre de sa ceinture et menaçait son compagnon. Celui-ci le regarda, un sourire narquois aux lèvres, puis il siffla :

– *Tu sais que je suis le meilleur chasseur de notre clan. Zoumar m'a confié ses pouvoirs et je le représente ici. Toi, tu n'es qu'un oisillon qui vole à peine et veut déjà caresser le soleil !*

L'autre lâcha un ricanement, avança encore son coutelas. La pointe tremblait.

– *Tant pis, tu l'auras voulu !*

Taumair se jeta sur Yorg avec une violence et une souplesse incroyables. L'autre n'eut pas le temps d'exécuter une parade et se retrouva un bras bloqué dans le dos.

– *Lâche ton coutelas!* ordonna Taumair. *Et suis les ordres de Zoumar. Tu ne pourras que t'en réjouir quand nous serons de retour parmi les nôtres.*

Yorg n'avait pas le choix et, penaud, il obéit.

– *Très bien! Maintenant, va rejoindre les autres et attends-moi avec eux. Je me charge du petit.*

Fabio n'avait pas bougé et repensa que, au bord de la rivière, un ours attaquait Ouanga et Korak.

CHAPITRE 11

Urgence

Oum n'avait rien compris à ce qui venait de se passer et se demandait si le vainqueur n'était pas pire que celui qui l'avait capturé.

Taumair sourit. Il s'agenouilla, passa une main sur la tête d' Oum et défit son bâillon. Il tenta ensuite de retirer les liens sans son coutelas, avec des gestes doux.

Fabio cherchait comment l'aider quand son téléphone sonna.

– Fabio! hurla Sara. Vite, fais quelque chose! Un ours attaque Korak et Ouanga! Il va les dévorer!

Le garçon regarda en contrebas.

L'ours essayait de se glisser entre les arbres mais, trop massif, il n'y parvenait pas. Heureusement, car les coups de sagaie que lui assénait Ouanga ne le décourageaient guère et l'excitaient davantage. Korak était recroquevillé derrière elle.

– Que veux-tu que je fasse? demanda Fabio.

– Je ne sais pas, mais débrouille-toi! Il y a urgence.

– Misère et carambouille! Oum vient d'être capturé par des étrangers. Il n'entend pas ce que je lui dis. Comment...

– Je ne comprends rien à ce que tu racontes. Débrouille-toi! En plus, tu as vu le soleil?

Une salve de rugissements retentit dans l'écouteur avant que la fillette ne raccroche.

«Peut-être que si je descends, je pourrai...»

Fabio n'avait hélas pas plus de pouvoir et guère plus de forces que Sara.

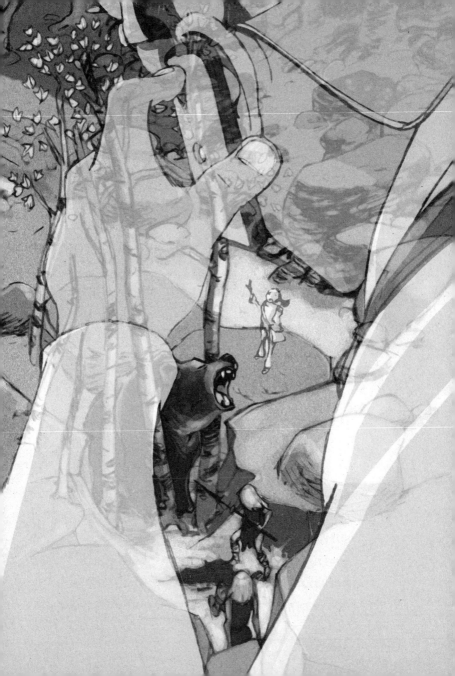

Mettre le feu à une branche pour effrayer l'ours? Il n'avait pas de briquet et, s'il savait comment les hommes préhistoriques allumaient un feu, il était incapable de les imiter.

Frapper le fauve avec un bout de bois? Dérisoire.

Creuser un trou sous ses pattes? Avec quel outil?

Utiliser une sagaie de Taumair? Il ne saurait pas la manier.

Chercher des secours auprès du clan des enfants? Difficile.

Il fallait qu'il trouve. Et vite! Il jeta un œil désemparé à Taumair et Oum. L'homme venait de défaire les liens des poignets de l'enfant et s'attaquait à ceux qui lui enserraient les chevilles.

Fabio eut soudain une idée. La chance était minime mais il n'avait pas le choix. En bas, suivant le vent, il lui semblait percevoir les rugissements de l'ours. Il ne devait pas toucher Oum directement. Il sortit donc des gants de son sac, les enfila, s'approcha du jeune Magdalénien, lui saisit le bras et l'agita en direction de la vallée.

Oum sursauta. Incrédule, il regarda son bras qui venait de se soulever tout seul.

– *Ne bouge pas, s'il te plaît!* lui demanda Taumair.

Fabio agita encore le bras d'Oum, secouant son propriétaire par la même occasion.

– *Mais qu'est-ce que tu...*

Taumair venait de découvrir l'air ahuri du garçon.

– *Qu'est-ce qui t'arrive?*

Oum l'ignorait lui-même. Alors, continuant de secouer le bras d'une main, Fabio tourna la tête du garçon et lui fit tendre le menton en direction de la vallée.

Soudain, une saute de vent apporta une rafale de rugissements.

Oum se souvint de ce qu'il avait vu avant sa capture. Il précisa son geste en allongeant le doigt, puis il porta son regard dans la même direction, l'air effrayé.

– *Mes amis!* cria-t-il. *Un ours les attaque! Il faut les sauver! Vite!*

Taumair ne comprenait pas ce que voulait Oum mais il se releva et regarda dans la vallée.

– *Par le sang du bison!*

Il se retourna vivement, empoigna son coutelas, sectionna les derniers liens puis, après avoir remis son arme à sa ceinture, saisit son propulseur et ses sagaies et courut en direction de la rivière. Oum le suivit après avoir repris ses propres armes.

– *Viens!* ordonna l'homme en ajoutant un signe du bras.

Oum lui emboîta le pas. Fabio récupéra son sac et les suivit.

Tous trois espéraient ne pas arriver trop tard...

CHAPITRE 12

Ultime combat

Sara venait de raccrocher. Elle glissa son téléphone au fond de sa poche, aspira une énorme goulée d'air, et souffla lentement en essayant de maîtriser sa peur.

Fabio allait venir, mais il lui faudrait du temps. Cinq minutes ? Dix ? Peut-être plus. Elle devait agir tout de suite et tenir l'ours en respect.

Elle se tourna vers la zone de combat. L'animal ne faiblissait pas. Il rugissait, donnait de violents coups de patte tout en essayant de se glisser entre les troncs.

Armée de sa seule sagaie, Ouanga faisait face avec un extraordinaire courage. Korak se terrait plus que jamais.

– J'arrive! Fabio aussi! Tiens bon, Ouanga!

Sara avait crié. C'était inutile mais cela lui redonna quelques forces. L'ours avait beau ne pas la voir, il l'impressionnait plus que jamais. La peur ne devait pourtant plus la paralyser. Elle devait suivre l'exemple de la jeune Magdalénienne.

Elle ramassa deux galets, s'approcha du monstre à une dizaine de pas, en lança un. La pierre rata l'animal, ricocha sur un arbre, faillit toucher Ouanga à la tête et atterrit sur Korak.

– *Ouille!*

Sara comprit qu'elle devait changer de tactique. Elle partit donc sur le côté et visa le profil de l'ours. Cette fois, le galet le toucha à l'épaule, mais ne le troubla pas. Elle en envoya plusieurs autres. Peu l'atteignirent. Seul celui qui le frappa derrière la tête provoqua un rugissement plus fort et accrut son énervement.

Elle se dit alors que le calibre était trop petit et décida de passer à la taille supérieure. Elle voulut ramasser une pierre grosse comme une citrouille. Mais c'était au-dessus de ses forces. Elle en saisit une autre, moins imposante, tenta de la lancer et s'aperçut qu'elle ne l'enverrait pas assez loin. Elle allait renoncer quand elle pensa qu'il lui suffisait de la faire tomber de haut. Elle escalada donc tant bien que mal le bouleau qui lui semblait le mieux convenir puis elle laissa tomber la pierre sur l'ours.

L'animal la reçut dans le dos. Il hurla de douleur mais n'en fut pas neutralisé pour autant et, rugissant de plus belle, il reprit ses assauts.

Sara jeta un regard angoissé vers la colline, espérant voir Fabio mais elle n'aperçut toujours rien.

Ses forces déjà faibles commençaient à l'abandonner. Elle allait céder au découragement quand elle remarqua une branche cassée. Elle courut la chercher, brisa les quelques branchettes qui pouvaient la gêner et revint à l'assaut.

Ouanga faisait toujours front, mais Sara eut le temps de voir son visage trahissant peur et fatigue.

L'ours repoussa la branche comme il chassait les abeilles tout à l'heure, sans se détourner de ce qu'il avait décidé de manger.

Soudain, deux sagaies fendirent l'air et frappèrent le plantigrade entre les épaules. Celui-ci laissa échapper un râle et s'effondra. Un cri de victoire retentit :

– *Ouaaaaaah!*

Oum et Taumair venaient de le pousser en chœur. Ouanga abandonna sa sagaie et s'écroula, à bout de force. Sara en fit autant.

CHAPITRE 13

Retour au campement

Oum et Ouanga marchaient devant, tenant chacun une superbe lampe à graisse en grès rose poli, en forme de raquette. Taumair les leur avait offertes.

– *Tu te rends compte*, expliqua Ouanga, *des pierres pleuvaient sur l'ours.*

– *Et... Et moi, mon bras s'est levé tout seul. Ma tête a bougé toute seule. Dans la grotte, un rayon de soleil m'a éclairé.*

– *C'est de la magie!*

– C'est quoi cette histoire de rayon de soleil? demanda Sara.

– Euh! Rien... Rien... bredouilla Fabio.

Sirog avançait clopin-clopant sur leurs talons. Chaque pas lui arrachait un gémissement. Ensuite venaient Taumair et Yorg, réconciliés, puis suivaient quatre de leurs compagnons portant une civière de branchages sur laquelle reposait Korak. Fayor marchait juste derrière eux. La troupe était passée le chercher à la grotte où il avait examiné Korak et dit qu'il le soignerait plus facilement au campement. Enfin, deux autres hommes du clan de Taumair assuraient l'arrière-garde. Le reste de la troupe préparait le cadavre de l'ours pour l'offrir au clan des enfants.

Le campement apparut : dix tentes coniques recouvertes de peaux qui évoquaient les tipis indiens. De la fumée s'échappait à leur sommet. Plusieurs feux brûlaient devant les tentes. Un homme emmanchait des sagaies, un deuxième taillait des silex. D'autres adultes vaquaient alentour. Deux jeunes enfants jouaient.

– *Yaouh!* cria Oum en agitant les bras.

Chacun cessa ses occupations, plusieurs personnes sortirent des tentes et, peu après, tous encerclèrent les nouveaux arrivants.

Oum fit les présentations et expliqua ce qui s'était passé. Taumair et Abrahr, le chef de tribu, se congratulèrent puis palabrèrent avec les mains. Les hommes des deux clans fraternisèrent. Les femmes restèrent en retrait.

Après avoir regardé le soleil qui déclinait toujours, Fabio photographia avec son portable tout ce qu'il pouvait. Soudain, il remarqua la pâleur de Sara.

– Ça ne va pas ? lui demanda-t-il.

– Je ne sais pas si c'est l'émotion ou un retour de ma maladie mais je me sens un peu patraque.

– Tu n'as pas apporté de médicaments ? Tu aurais dû...

– Non ! Je ne pensais pas en avoir besoin.

Fabio montra le sorcier près de Korak. L'homme massait la cheville du blessé avec un onguent brunâtre. À côté de lui,

une pierre creuse était remplie de liquide
aux trois quarts.

– Tu vois la pierre, là? Tout à l'heure, il
a fait boire deux ou trois gorgées de son
contenu à Korak. Le «grand blessé» a presque l'air en pleine forme maintenant. Si tu
avalais un peu de ce breuvage?

Sara adressa un fragile sourire à son ami.

– Tu ne crois pas que ça risque de me rendre encore plus malade?

– À toi de voir, mais moi, si j'étais bar-
bouillé, misère et carambouille, je n'hési-
terais pas. Regarde Korak, je te dis, il semble aller beaucoup mieux.

Le garçon paraissait vraiment en meilleure
forme et caressait Sirog qui léchait sa propre blessure d'une langue appliquée. Sara
dut se rendre à l'évidence, Fabio avait raison.

Le geste hésitant, elle saisit la pierre et la
mit sous son nez. L'odeur n'était pas enga-
geante. Elle avala pourtant une première
gorgée puis deux autres.

– Pouah! grinça-t-elle en reposant la pierre. C'est dégoûtant. Heureusement que les
médicaments du XXIe siècle ont meilleur
goût...

Quelques minutes plus tard, alors que le
peintre de la grotte et son assistant avaient
rejoint le campement, Oum s'approcha de
Ouanga et lui glissa à l'oreille :

– *J'irais bien ajouter quelque chose au dessin de Korak. Tu viens avec moi?*

La fillette approuva.

Sara et Fabio regardèrent le soleil qui descendait de plus en plus.

– Bah! On a le temps, constata le garçon. Un dernier petit tour dans la grotte de Lascaux et on rentre.

Son amie était moins tranquille mais n'osa pas le dire.

CHAPITRE 14

Le roi des bisons

– *Il est important* de compléter la scène du puits, expliqua Oum. *Le roi des rennes n'y est pas représenté. C'est injuste.*
– *Oui! Korak mérite de figurer près de l'oiseau perché, son totem!*
Oum et Ouanga allumèrent les lampes à graisse offertes par Taumair au feu que le peintre et son assistant avaient nourri avant de partir, à l'entrée principale de la grotte. Ils rejoignirent ensuite l'entrée secondaire et pénétrèrent sous terre. L'odeur des lampes saisit les Enquêteurs du Net dès les premiers pas.

– Pouah! Ils n'ont toujours pas inventé le désodorisant!

– Ouh! ajouta Sara. Heureusement que je me sens mieux car ces relents m'auraient achevée!

Oum posa sa lampe sur le sol et utilisa une branche appuyée sur la paroi en guise d'escabeau.

– *Alors*, demanda la fillette en l'éclairant, *qu'est-ce que tu vas ajouter?*

– *Je te l'ai dit : le roi des rennes!*

Oum trempa son pinceau dans le colorant puis commença à tracer un homme au torse démesuré au-dessus du totem. Sara et Fabio étaient fascinés. Soudain, alors qu'il allait réaliser le bas du personnage, le lien qui tenait les poils du pinceau se brisa.

– *Ah, peste de mammouth!*

Oum porta alors la pierre creuse remplie de liquide noir à ses lèvres et annonça :

– *Je vais changer de technique.*

Il aspira du colorant et, le nez à fleur de paroi, souffla un premier jet avec précau-

tion. Il prit du recul et, les joues encore gonflées de liquide, regarda le résultat.

– *Bien!* reconnut Ouanga. *On voit que tu es entraîné.*

Oum recommença l'opération.

– Pas terrible comme dentifrice, cette peinture noire! constata Sara avec dégoût.

– Avantage : on ne voit plus les caries! Et puis, peut-être que pour eux les dents noires c'est plus joli que les dents blanches... Le bas du corps apparut mais, juste comme Oum terminait en reliant la deuxième jambe au bas du tronc, il toussa et pulvérisa un jet imprévu.

– *Eh!* claironna Ouanga. *On dirait que tu lui as dessiné un zizi!*

– *Bah, après tout, c'est normal : Korak est un garçon.*

– *Et pourquoi tu lui as fait une tête d'oiseau?*

– *Parce que c'est son totem! Comme ça, on est sûr de le reconnaître.*

– *Bravo! Ton dessin est très réussi. Korak pourra se vanter d'avoir éventré le bison, mais il sera le roi des bisons, pas celui des rennes!*

Les enfants éclatèrent de rire puis décidèrent de rejoindre le clan et ses visiteurs. Les tractations devaient avoir lieu maintenant. Quelques trésors s'échangeaient.

Oum venait de ramasser sa lampe à graisse quand elle lui échappa des mains et se brisa en mille morceaux. La mèche de celle de Ouanga s'éteignit à cet instant.

– *Oh, non!* se désola Oum en récupérant quelques morceaux à tâtons. *Je vais essayer de la réparer.*

– *Moi*, expliqua Ouanga, *je laisse la mienne ici. Même éteinte, elle aidera le roi des bisons à voir clair!*

– Je crois qu'on peut rentrer, constata Sara une fois les Magdaléniens sortis. Il est quelle heure, au fait?

Elle alluma sa lampe et glapit :

– Vingt heures! Le soleil est couché!

– Misère et carambouille! On va rester prisonniers.

Catastrophe! Chacun prit son téléphone

portable et tapa l'heure de leur départ du XXIe siècle d'un doigt inquiet.

D'abord un long, très long silence et puis... le sifflement retentit, les étoiles scintillèrent, les bras du tourbillon multicolore enveloppèrent Sara et Fabio, les soulevèrent, les bercèrent et, l'instant d'après, ils se retrouvèrent dans la chambre de Sara.

Ils venaient juste de retirer leur blouson quand le père de Sara passa la tête par la porte et constata :

– Ça sent mauvais ici! Qu'est-ce que vous faites brûler? Un morceau de viande?

– Euh, non... C'est l'éclairage!

– L'éclairage? L'ampoule de ta chambre empeste à ce point?

– Ne t'inquiète pas, papa!

Sara ouvrit la fenêtre et, à son grand soulagement, son père ne demanda pas d'autres explications. Elle se tourna ensuite vers Fabio :

– Ben, tu as vu! On est tout de même rentrés.

– Oui! J'ai compris : ici, en automne, on a

deux heures d'avance sur le soleil. Il était vingt heures à ta montre mais dix-huit heures au soleil. Il y a 17 ou 18 000 ans, les Magdaléniens vivaient avec le soleil et...

– Et à dix-huit heures, en automne, il faisait encore jour chez eux! On a eu chaud.

– Plus que ça : j'ai cru qu'on était cuits! Bon, en parlant de cuisine, je te laisse, sinon je vais être en retard au dîner. Mes parents vont en faire tout un plat et je ne serai pas dans mon assiette.

CHAPITRE 15

Nouveaux articles
pour *L'écho de l'école*

Sara s'assit devant l'ordinateur avec grand plaisir.

Elle avait repris l'école depuis une semaine. La maladie n'était plus qu'un mauvais souvenir.

– Ça y est, dit Fabio en entrant dans la salle informatique. La maîtresse a nos articles! Elle les regarde tout de suite.

– On pourrait retourner à Lascaux en attendant qu'elle nous dise ce qu'elle en pense.

– Bonne idée!

Sara tapa l'adresse du site officiel de la

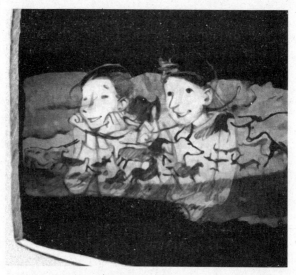

grotte et la page d'accueil apparut. Un faisceau de lampe permettait de découvrir la
salle des taureaux.

Ils se promenèrent ensuite sur le site et
retrouvèrent avec émotion les dessins tra-
cés par les deux jeunes Magdaléniens.

– Je me demande comment a réagi Korak
en découvrant la blague de ses copains.

– Qui est Korak? demanda la maîtresse qui
venait d'entrer.

– Euh... Un ami!

– Qui a habité la région de Lascaux.

La maîtresse commenta les articles :

– Vous avez encore très bien travaillé. Bravo! Quelle documentation! Et puis, les dessins, quel réalisme! On croirait des photos.

– Mais ce sont des photos! s'esclaffa Sara, un grand sourire aux lèvres.

– Bien sûr, reconnut la maîtresse, moqueuse. Je pense même que votre ami Korak les a prises avec son appareil photo numérique préhistorique taillé dans le bois de renne et le silex.

– Presque, reconnut Fabio, lui aussi souriant. C'est fou ce qu'on peut faire avec l'informatique.

Et tous trois éclatèrent de rire.

TABLE DES MATIÈRES

Achevé d'imprimer en France par Hérissey à Évreux (27000)

Dépôt légal : n° 99511 - février 2008 - N° d'impression : 107383

L'écho de l'école

Les grands de l'école bientôt à Lascaux

Les élèves de cycle 3 s'intéressent à nos ancêtres magdaléniens et préparent une importante exposition sur la grotte de Lascaux. Sous la conduite de leur maîtresse, ils mènent des recherches sur Internet et à la médiathèque. Lire pages II, III et IV.

Ph © Akg-Images

Les peintures rupestres de la salle
des taureaux dans la grotte de Lascaux,
en Dordogne (vers 16 000 ans av. J.-C.).

La découverte de Lascaux

Le 8 septembre 1940, quatre adolescents en quête d'un refuge arpentent la colline de Lascaux, près de Montignac-sur-Vézère, en Dordogne. Ils s'intéressent à une cavité connue par les habitants de la région depuis déjà plusieurs années sous le nom de «Trou du diable» et découvrent ainsi l'extraordinaire grotte préhistorique de Lascaux.

Lascaux II : quand la reproduction tutoie l'original

Lascaux présente des peintures datant d'environ 18 000 ans. Hélas, les visiteurs trop nombreux risquaient de provoquer l'irrémédiable disparition de ces chefs d'œuvre. Aussi a-t-on créé à proximité un fac-similé reproduisant très exactement la salle des taureaux et le diverticule axial. Un autre chef d'œuvre à part entière.

Où se situent les Magdaléniens dans l'évolution de l'Homme?

Quand sont apparus les hommes? Comment ont-ils évolué? On estime que les hominidés et les singes se seraient différenciés voici 6 à 8 millions d'années. Les Magdaléniens ont vécu de 19 000 à 12 000 ans avant nous.

Les Magdaléniens, une civilisation du renne

Les Magdaléniens étaient des chasseurs-cueilleurs qui vivaient en communion avec la nature. Nomades, ils s'installaient quelques mois en un lieu puis partaient pour un autre, suivant souvent les migrations des troupeaux de rennes. Ils tiraient énormément de choses de ces animaux faciles à chasser : nourriture, vêtements, armes, objets décoratifs…

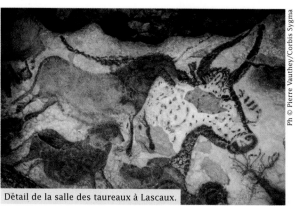

Ph © Pierre Vauthey/Corbis Sygma

Détail de la salle des taureaux à Lascaux.

Ph © Museum of London, UK/The Bridgeman Art Library

Reconstitution d'un village préhistorique
antérieur à ceux des Magdaléniens.

Pourquoi les hommes préhistoriques créaient-ils des œuvres d'art ?

La grotte de Lascaux est décorée de peintures, dessins et gravures (plus de 1 500). L'art préhistorique ne se limite pas à ce genre d'expression. Les hommes d'avant l'écriture ont aussi sculpté les parois des cavernes ou de simples rochers ainsi que des objets de la vie quotidienne, modelé la terre, taillé, poli des outils et des armes. Ils ont développé un extraordinaire savoir-faire au fil des millénaires. Créaient-ils au cours de cérémonies religieuses ? Créaient-ils pour mieux attraper le gibier (cette hypothèse est pratiquement abandonnée aujourd'hui) ? Créaient-ils pour le plaisir ? Créaient-ils pour d'autres raisons ?

Jeux d'enfants
Comme ceux d'aujourd'hui, les enfants magdaléniens devaient jouer, pleurer, chanter, danser, rire, blaguer. Ils aimaient sans doute imiter les adultes. Dans la grotte du Tuc d'Audoubert, en Ariège, on a découvert les emprunts de jeunes adolescents dans l'argile. À Étiolles, près de Paris, des restes de taille de silex maladroite ont pu être réalisés par un enfant.

III

Voir le site www.les-enqueteurs-du-net.com

Les Magdaléniens troquaient

Les clans magdaléniens communiquaient entre eux et, probablement, échangeaient des objets. Dans la vallée de la Vézère, on a découvert des parures fabriquées avec des coquillages recueillis dans l'Atlantique et en Méditerranée. Les clans ne pouvaient pas voyager autant et s'échangeaient sans doute ces objets. Toutefois, on a longtemps cru que la lampe en grès rose retrouvée dans le puits de Lascaux provenait d'un lieu éloigné de Corrèze. On pense aujourd'hui que les hommes ont aussi bien pu la sculpter dans un galet en grès de Brive ramassé à proximité immédiate du sanctuaire.

Sur le site www.les-enqueteurs-du-net.com, mène toi aussi ta propre enquête virtuelle…

Ph © Gwenaelle Hamon/AFP

Chantier archéologique (2004) qui atteste d'une occupation préhistorique et gauloise en Bretagne (Île aux Moutons).

Préhistorien : un beau métier

Détectives de notre lointain passé, les Préhistoriens sont des chercheurs qui étudient et analysent les traces laissées par nos ancêtres vivant avant l'avènement de l'écriture, afin de reconstituer la vie de ces hommes. Métier difficile mais passionnant, il se pratique sur le terrain et en laboratoire.

Lascaux : un site préhistorique parmi beaucoup d'autres

Classée au Patrimoine Mondial de l'Humanité, la grotte de Lascaux n'est pas le seul témoignage des hommes préhistoriques. Si on ne retrouve des sanctuaires paléolithiques qu'en Europe, les armes et outils sont beaucoup plus répandus. On peut ainsi imaginer comment l'Homme a peu à peu conquis la Terre.